• Le vivant • La matière • Les objets

Découverte des Sciences

CYCLE DES APPRENTISSAGES FONDAMENTAUX

CP-CE1

Cet ouvrage est le résultat du travail d'une équipe d'enseignants :
instituteurs, professeurs d'I.U.F.M., C.P.A.I.E.N., I.E.N.

La mise en forme a été assurée par :

J.-L. Canal   **M. Margotin**

J. Lamarque   **M.-A. Pierrard**

R. Tavernier

BORDAS

Un livre attrayant...
pour découvrir le monde des sciences

Ce livre, conforme aux programmes de 1995, a été réalisé pour de jeunes enfants qui ont entamé le processus d'apprentissage de la lecture. Il propose :
– un **choix de sujets intéressants** permettant la découverte du monde du vivant, de la matière et des objets, à travers un premier apprentissage méthodique ;
– des **documents de travail** présentés pour chaque sujet en une double page et à partir desquels s'organisent les séquences de classe ;
– des **propositions d'activités** pour exploiter ces documents ;
– la présentation claire, sous forme d'une ou deux phrases, des **notions visées importantes** ;
– de petits **exercices d'évaluation** des connaissances acquises, souvent présentés sous forme de jeux.
Les enseignants trouveront dans le **livre du maître**, qui accompagne cet ouvrage, toutes les informations utiles à la mise en place des activités.

Etant donné le niveau d'acquisition de la lecture des élèves du CP et du CE1, les textes à lire sont volontairement brefs. Le choix d'accompagner les sujets scientifiques de textes poétiques est dicté par le souci d'établir des relations entre l'apprentissage de la lecture, la maîtrise de la langue française et les autres disciplines. Lus par l'enseignant au début du CP, leur lecture sera progressivement maîtrisée par les enfants.

Mettre des dessins humoristiques, de très belles photographies... est aussi un choix : celui de donner à un livre scolaire un attrait comparable à celui d'un autre livre pour enfants.

Les auteurs.

Programme de Sciences et Technologie
Cycle des apprentissages fondamentaux

(B.O.E.N. n° 5, 9 mars 1995)

Le monde du vivant

■ **Le corps de l'enfant et l'éducation à la santé**
● Le corps de l'enfant (notions simples de physiologie et d'anatomie).
● Importance des règles de vie : hygiène (habitudes quotidiennes de propreté, d'alimentation, de sommeil, de rythme de vie...).

■ **Les manifestations de la vie animale et de la vie végétale**
● Les animaux et les végétaux sont vivants : animaux familiers, élevages ; plantes typiques de la région ou connues des enfants (jardin de l'école, cultures en classe...).

■ **Les êtres vivants dans leur milieu**
● Les animaux et les végétaux dans leur milieu.
● Modification des milieux selon les saisons.

Le monde de la matière et des objets

■ **La matière**
● L'eau dans la vie quotidienne : la glace, l'eau liquide, la vapeur d'eau ; l'existence de l'air.
● Utilisation du thermomètre dans quelques situations de la vie courante.

■ **Les objets et les matériaux**
● Utilisation d'objets techniques usuels (jouets, objets ou appareils appartenant à l'environnement de l'enfant à la maison ou à l'école).
● Démontage et remontage d'objets techniques simples ; fabrications diverses et réalisations technologiques élémentaires à caractère utilitaire ou ludique ; maniement d'outils et d'ustensiles appropriés ; propriétés de quelques matériaux usuels.
● Utilisation d'appareils alimentés par des piles (lampe de poche, jouets, magnétophone...).

© BORDAS, Paris, 1996
I.S.B.N. 2-04-028302-1

Sommaire ... Sommaire ... Sommaire ... Sommaire

Sommaire ... Sommaire ... Sommaire ... Sommaire

Tu peux courir, sauter, danser

 1

Lesquels marchent ? Lesquels courent ?

❶   ❷

❸   ❹

❺   ❻

activités

● Parmi ces enfants, lesquels marchent ? Lesquels courent ? Lesquels sautent ? Lesquels sont immobiles ?

● A quoi le vois-tu ?

❷ Peux-tu courir, jambes raides ? bras immobiles ?

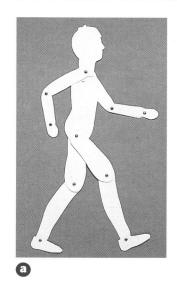

a

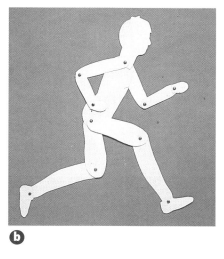

b

« Bien sûr que non ! »
dit le bonhomme en carton.
A-t-il raison ?

c

❸ Des empreintes dans la neige.

❶

❷

❸

A

B

C

activités

● Relie chaque photographie du bonhomme en carton à un dessin de la page 4.

● Relie chacune des empreintes (A, B, C) à une silhouette (1, 2, 3).

J'ai découvert

Je peux reconnaître sur un dessin si le personnage représenté court, saute...

Mes jambes et mes bras peuvent « se plier » au niveau du genou, du coude...

Où est ton coude ? ton genou ?

 1

Sais-tu danser ?

tête

cou

thorax

abdomen

bras

avant-bras

jambe

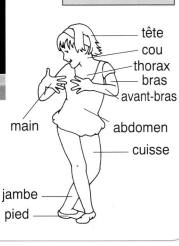

tête
cou
thorax
bras
avant-bras
main
abdomen
cuisse
jambe
pied

activités

- Décalque la danseuse qui n'a pas été dessinée, puis colorie le cou, l'avant-bras, la jambe.

- Quels mots sont écrits sur les étiquettes bleues ?

2 Sais-tu sauter ?

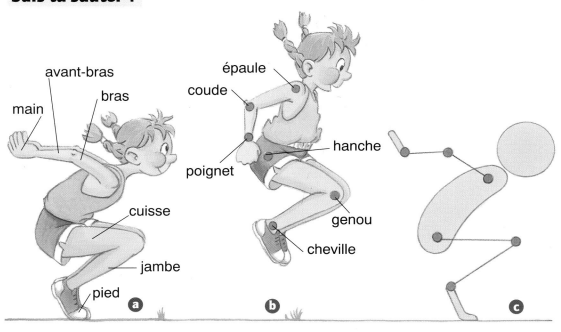

main
avant-bras
bras
épaule
coude
hanche
poignet
cuisse
genou
cheville
jambe
pied
a
b
c

3 Faire ces mouvements, c'est facile !

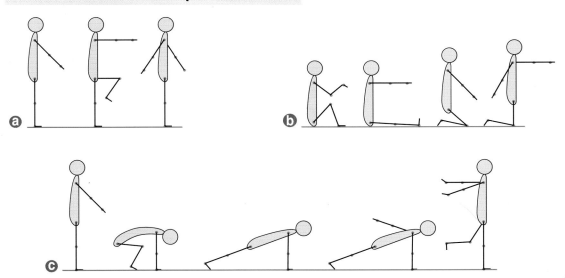

a

b

c

J'ai découvert

Je peux appeler par son nom chaque partie de mon corps.

Je peux représenter mon corps de façon schématique.

Joue avec tes mains

Que fait ma main ?

Ma main sait dire
« Salut ! au revoir ».
Elle sait caresser,
chatouiller et pincer...

Elle me dit parfois
« C'est chaud, c'est froid,
c'est dur, c'est mou,
ça pique, c'est doux ».

Ma main sait
ramasser des perles,
tenir un pinceau,
offrir un bonbon.

Elle peut aussi
faire le petit lapin,
montrer le chemin...

Valentin

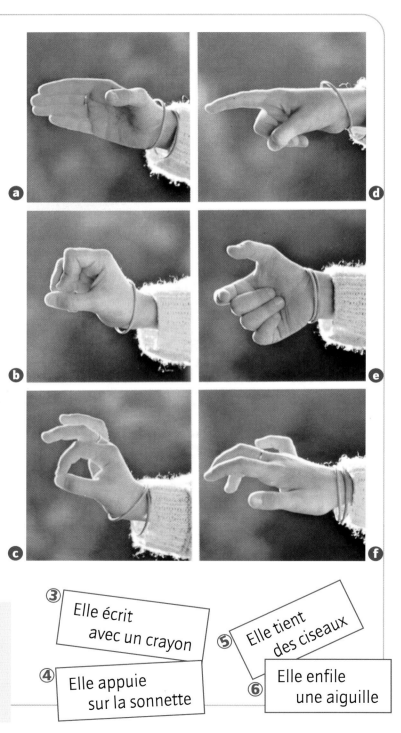

a

d

b

e

c

f

① Elle joue du piano

② Elle tient une bouteille

③ Elle écrit avec un crayon

④ Elle appuie sur la sonnette

⑤ Elle tient des ciseaux

⑥ Elle enfile une aiguille

activités

- Associe chaque photographie à une étiquette.
- Mime des gestes de métiers et fais-les deviner à tes camarades.

2

Les cinq doigts de ma main.

Voici ma main : elle a cinq doigts.
En voici deux, en voici trois.

Le premier, ce gros bonhomme,
C'est le pouce qu'il se nomme.

L'index qui montre le chemin,
Est le second doigt de la main.

Entre l'index et l'annulaire,
Le majeur paraît un grand frère.

L'annulaire porte l'anneau,
Avec sa bague, il fait le beau.

Le tout petit auriculaire
Marche à côté de l'annulaire.

Regardez mes doigts travailler.
Chacun fait son petit métier.

Comptine populaire

activités

● Dessine une de tes mains et écris le nom des doigts.

● Parmi ces gants, lesquels vont à la main droite ?

J'ai découvert

**Avec ma main, je peux tenir une paire de ciseaux, jouer du piano, faire des gestes,...
Chaque doigt de ma main a un nom.**

As-tu une faim de loup ?

1

Voici de quoi manger !

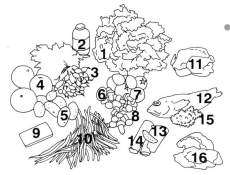

• Peux-tu donner le nom de chacun des aliments ?

Comment faire du fromage blanc ?

❶ Mettre quelques gouttes de présure dans un à deux litres de lait tiède (30°) et bien remuer.

❷ Laisser reposer deux jours à une température de 22° : le lait se transforme en fromage.

❸ Egoutter pendant une journée.

❹ Le fromage blanc est prêt.

activités

• Explique comment on fait du fromage blanc.

J'ai découvert

Tous les aliments que je mange proviennent des animaux ou des plantes. Certains se mangent crus, d'autres se mangent cuits.

Avec du lait on peut faire du fromage.

Combien as-tu de dents ?

1

Hugo a perdu une dent.

Ma dent

Elle est tombée ce matin
Elle ne tenait plus très bien
A la place il y a maintenant
Un p'tit trou sur le devant.

Elle était sur l'étagère
On l'a mise sous un verre

Et la petite souris
Est venue pendant la nuit.

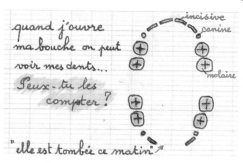

quand j'ouvre
ma bouche on peut
voir mes dents...
Peux-tu les
compter ?

incisive
canine
molaire

"elle est tombée ce matin"

Ce matin, elle n'est plus là.
Mais à la place il y a
Une bien jolie surprise.
C'est la souris qui l'a mise.

activités

● Combien Hugo a-t-il de dents ?
Compte-les sur le dessin.

● Comment s'appellent les dents
placées sur le devant ?

Ma dent, ma petite dent,
Ma dent, ma dent de devant.

Le dentiste, c'est le docteur des dents.

Pour savoir si les dents sont en bonne santé, on va chez le dentiste.

Le dentiste m'a dit :

« Tes dents sont vivantes. Tu dois en prendre soin.

Les bonbons et les aliments sucrés sont mauvais pour tes dents.

Le soir, après avoir sucé un bonbon, il ne faut jamais t'endormir sans te laver les dents. »

a

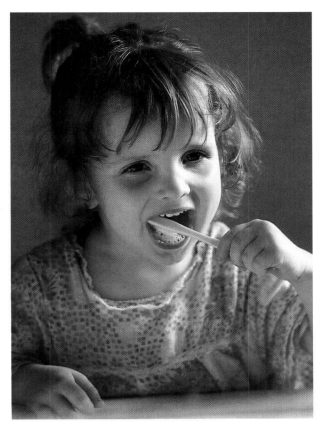

◀ Si c'est nécessaire, le dentiste fait une radiographie.

b

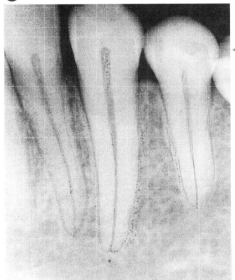

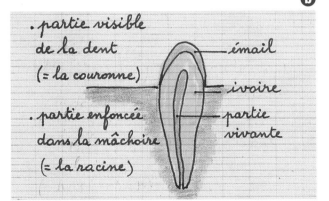

- partie visible de la dent (= la couronne)
- partie enfoncée dans la mâchoire (= la racine)
- émail
- ivoire
- partie vivante

activités

- Décalque la radiographie (2**a**) et colorie la partie vivante de la dent.

- Explique pourquoi il faut se laver les dents après les repas.

J'ai découvert

Les dents de lait tombent et sont remplacées par des dents définitives.

Mes dents sont vivantes. Pour les garder en bonne santé, je me lave les dents après chaque repas.

Une journée bien remplie

Comment rester en forme ?

Quand tu te lèves le matin, tu n'as pas mangé depuis la veille ! Ton corps doit reprendre des forces. Pour bien commencer la journée, il est important de prendre un bon petit déjeuner.

a

longues veillées...
...journées gachées

le coucher tardif
déséquilibre
la vie
de l'enfant

COMITÉ FRANÇAIS D'ÉDUCATION POUR LA SANTÉ, 2 rue Auguste Comte 92170 Vanves   CFES

b

activités

- Que penses-tu de l'affiche ?
- Raconte la journée d'Émilie présentée à la page 15.

J'ai découvert

Pour être en forme, je dois dormir suffisamment (9 à 10 heures par nuit), et pour cela je ne dois pas me coucher tard.

1

Regarde bien ces silhouettes.

Vrai ou faux : **a** et **b** sont des images de marche, **c** et **d** sont des images de course.

2

Des mots importants.
Reproduis la silhouette et indique les mots : épaule, coude, poignet, hanche, genou, cheville, cuisse, jambe pied, main, avant-bras, bras.

3

Vrai ou faux ?

Valérie arrose ses fleurs de la main gauche.

L'éléphant s'appuie sur sa patte gauche.

Thomas a la jambe gauche en avant.

4

D'où viennent les aliments ?

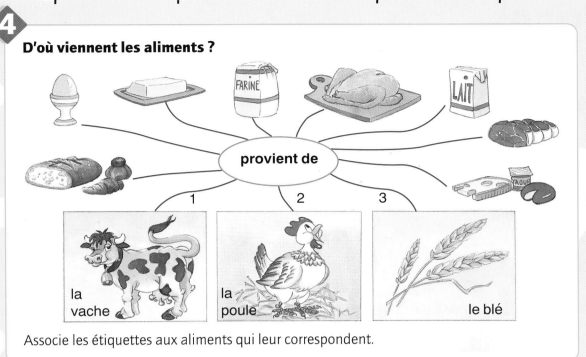

provient de

1   2   3

la vache   la poule   le blé

Associe les étiquettes aux aliments qui leur correspondent.

5

Cherche l'intrus.

- Quels aliments de la photographie proviennent du lait ? Quel est l'intrus ?

• Sais-tu ce qu'on fait avec leur lait ?

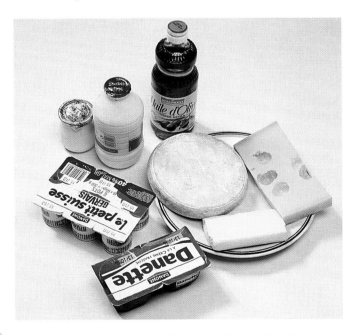

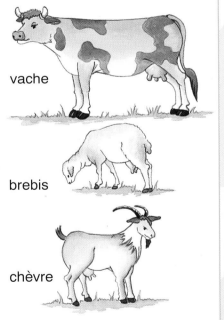

vache

brebis

chèvre

Tu as cinq sens

1

Tu vois, tu sens, tu entends...

a   ton œil regarde

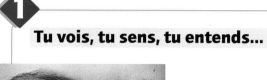

1   Oh ! ça chatouille

b   ton oreille écoute

2   Hum ! ça sent la menthe

4   Cette glace a un goût délicieux

3   Mon chat est doux comme du velours

c   ton nez sent

6   C'est le chant du rossignol

d   ta langue goûte

5   Cette pierre est rugueuse

7   Allo ! j'entends très mal

activités

- Associe les photographies et les étiquettes.
- Imagine d'autres phrases qui conviennent.

8   Aïe ! ça pique

9   C'est trop chaud

e   ta main touche

2

A la découverte du monde.

3

Une illusion d'optique.

Que vois-tu ? Une jeune femme ou une vieille femme au nez crochu ?

activités

• « Je vois la lune mais je ne peux ni la toucher ni la sentir. » Pour chacune des images explique ce que tu peux faire.

J'ai découvert

J'ai cinq sens. Je peux voir, écouter, goûter, sentir, toucher. A chaque sens correspond un organe précis : les yeux, les oreilles, la langue, le nez, la peau.

19

Ton cœur bat...
et tu respires...
même quand tu dors

Boum tic, boum tic, boum tic...

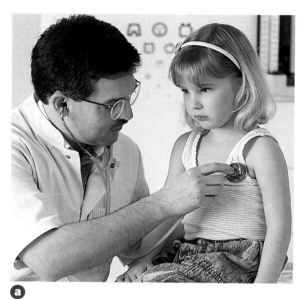

b Colin écoute le cœur de Sarah.

Pour mieux entendre les battements de ton cœur, le médecin utilise un appareil qui amplifie les bruits et qui porte un nom bizarre : c'est un stéthoscope.

activités

• Comment peux-tu savoir si ton cœur bat ?

• Explique ce que tu vois sur chacune des photographies.

c « Je suis restée longtemps la tête dans l'eau. »

Tu respires, même quand tu dors.

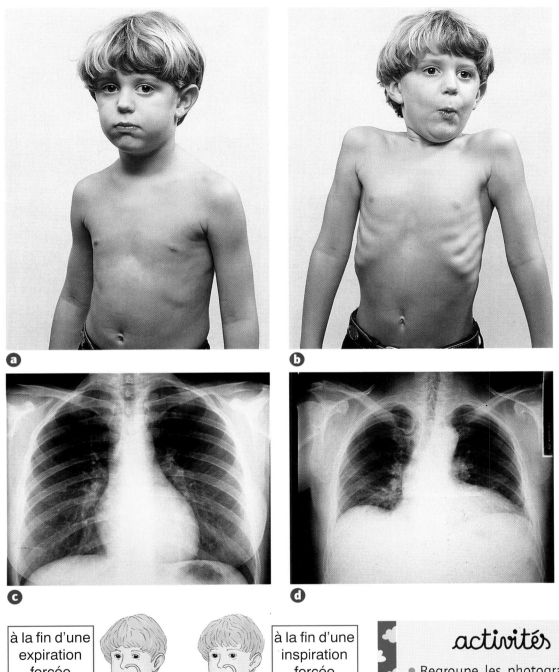

a

b

c

d

à la fin d'une expiration forcée

à la fin d'une inspiration forcée

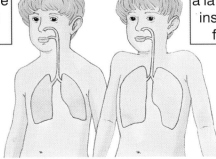

e

f

activités

● Regroupe les photographies et les dessins qui se correspondent.

J'ai découvert

Je ne peux ni m'empêcher de respirer ni arrêter les battements de mon cœur.

Petit enfant deviendra grand

1

1 an, 2 ans, 6 ans, 20 ans ... 100 ans peut-être.

a

d

b

c

e

activités

• Range ces photographies dans l'ordre, du bébé à la personne âgée. A quoi vois-tu les différences d'âge ?

② Tu grandis depuis ta naissance.

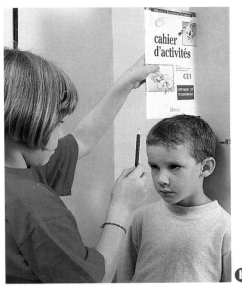

Flavien pense
qu'il est plus grand que Sarah
et plus grand que Jessie.
A-t-il raison ?

Voici mes chaussures,
celles de ma maman,
celles de mon grand
frère ... et les chaussons
de ma petite sœur.

activités

- Que représentent les photographies ?

- Comment sais-tu que tu grandis ? Comment peux-tu le vérifier ?

- Tes parents grandissent-ils ? Comment le savoir ?

J'ai découvert

Depuis ma naissance, je grandis et je grossis. Je continuerai de grandir jusqu'à l'âge de 20 ans environ.

Elsa a apporté son chat

1

J'ai un petit chat...

Mon petit chat

J'ai un petit chat,
Petit comme ça.
Je l'appelle Orange.

Je ne sais pourquoi
Jamais il ne mange
Ni souris ni rat.

C'est un chat étrange
Aimant le nougat
Et le chocolat.

Mais c'est pour cela,
Dit tante Solange,
Qu'il ne grandit pas !

Maurice Carême

Le savais-tu ?

• Un chat peut vivre 15 ans.
• Une chatte peut avoir jusqu'à 6 bébés chats en même temps, et ceci... 2 fois par an !

Petit oiseau,
petite souris,
faites bien attention :
le chat d'Elsa
ne mange pas
que du nougat !

activités

• Raconte la vie d'un chat que tu connais (Quand et où dort-il ? Que lui donne-t-on à manger ?...)

Les chats ont tous des dents...

Le chat et le soleil

Le chat ouvrit les yeux,
Le soleil y entra.
Le chat ferma les yeux,
Le soleil y resta.

Voilà pourquoi, le soir,
Quand le chat se réveille,
J'aperçois dans le noir
Deux morceaux de soleil.

Maurice Carême

... ils ont aussi des griffes !

activités

● A quoi servent les griffes du chat ? Quand fait-il « patte de velours » ?

● A quoi servent les canines du chat ?

J'ai découvert

Pour un enfant, un chat est un doux compagnon.

Mais, même bien nourri, il garde ses instincts de chasseur d'oiseaux, de souris...

Ils vivent près de mon école

1

Les escargots se promènent avec leur maison sur le dos.

Pin pon d'or
Le soleil brille

Et moi je dors
Dans ma coquille.

Pin pon gris
A petit bruit
Tombe la pluie
Et moi je sors :
Pin pon d'or.

Pierre Menanteau

J'aime la pluie,
et la rosée de la nuit.
J'aime l'ombre,
mais pas du tout le soleil !
Quand il fait très chaud,
je me cache
sous un tapis de feuilles...
ou sous une pierre.

activités

- Dessine un escargot tel qu'on le voit un jour de pluie. Puis dessine-le quand il y a du soleil.

- Quand il fait chaud et que tu ne vois pas d'escargots, où sont-ils ?

Des voisins bien sympathiques.

Moi, le lézard, je suis
gourmand de mouches.
J'aime le soleil,
et aussi la chaleur.
La nuit, je dors
dans un trou
du vieux mur.
Quand il fait froid,
je reste chez moi.

Si tu sais compter jusqu'à 7,
tu sauras pourquoi
on m'appelle
coccinelle à 7 points !

Sais-tu ce que je mange ?
Des pucerons, des pucerons,
et encore des pucerons.
Un bébé coccinelle
peut dévorer 80 pucerons
par jour !

activités

● Raconte une « journée de lézard »
un jour de grand soleil, puis une
autre journée quand il fait froid.

● Pourquoi appelle-t-on les coccinelles les ogres du jardin ?

J'ai découvert

Bien des petits animaux vivent dans
les coins de nature de la cour de
l'école. On ne rencontre pas les
mêmes quand il pleut ou quand il fait
soleil.

Héberge-les pour quelques jours

 1

Elever des escargots, c'est facile !

1. aquarium (ou une jardinière ou même une grande cuvette).
2. couvercle grillagé (en plastique ou en métal) ou cloche grillagée.
3. terre (ou mélange de terre et de terreau).
4. petit tas de feuilles mortes.
5. pot à fleur à moitié enterré.
6. caillou.
7. laitue (à changer régulièrement).

activités

- Pourquoi met-on, dans le domaine des escargots, un pot de fleurs à moitié enterré ?

- Pourquoi arrose-t-on régulièrement la terre et les feuilles ? ...

• **Les escargots aiment bien...**

...l'ombre, l'humidité, la fraîcheur

...des cachettes un peu sombres

...du terreau humide pour pondre

...des feuilles de laitue et de chou

Ils n'aiment pas du tout le soleil, la chaleur, la sécheresse

Ils aiment aussi...

...se sauver

• **Tu peux donc les installer ainsi...**

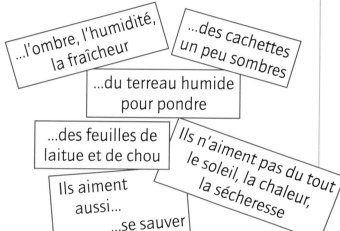

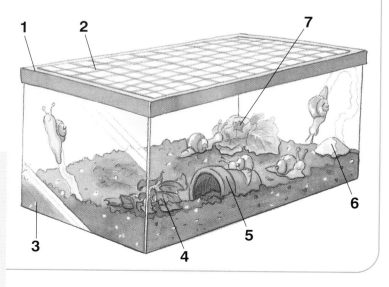

1 2 7

3

4

5

6

2 ## Des invités de passage.

• **Installe-les pour quelques jours ... puis relâche-les dans la nature.**

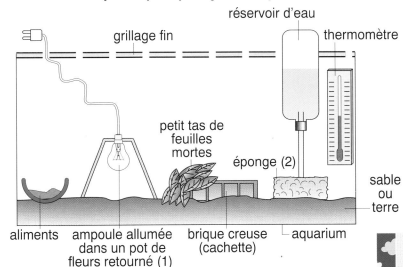

réservoir d'eau

grillage fin

thermomètre

petit tas de feuilles mortes

éponge (2)

sable ou terre

aliments   ampoule allumée dans un pot de fleurs retourné (1)   brique creuse (cachette)   aquarium

(1) C'est un "radiateur" de chauffage, utile pour certains insectes qui aiment la chaleur (grillons, pyrrochores, phasmes).

(2) l'éponge qui sert d'abreuvoir est maintenue humide en permanence par le réservoir d'eau.

Chez moi, dit la petite fille
On élève un éléphant.
Le dimanche son œil brille
Quand papa le peint en blanc.

Chez moi, dit le petit garçon
On élève une tortue.
Elle chante des chansons
En latin et en laitue. (...)

René de Obaldia

activités

• Explique à quoi servent les divers objets placés dans la boîte d'élevage.

• Comment les animaux peuvent-ils boire ?

J'ai découvert

Pour observer la vie de certains animaux, on peut les installer en classe et leur fournir des conditions de vie qui conviennent à leurs besoins.

29

1

Reconnais-tu ces animaux ?

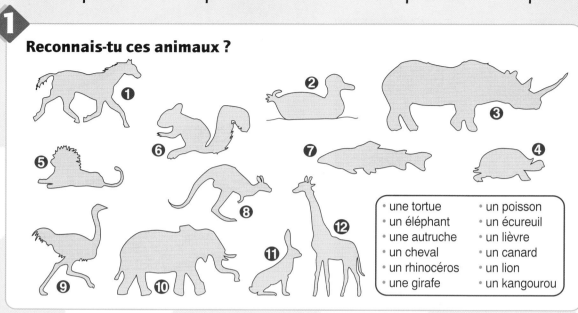

- une tortue
- un éléphant
- une autruche
- un cheval
- un rhinocéros
- une girafe
- un poisson
- un écureuil
- un lièvre
- un canard
- un lion
- un kangourou

2

Ton chien ne voit pas les couleurs. Et ton chat ?

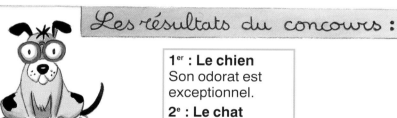

Les résultats du concours :

1er : Le chien
Son odorat est exceptionnel.

2e : Le chat
Son odorat très développé est cependant inférieur à celui du chien.

1er : Le chien
Il entend des sons que tu n'entends pas.

2e : Le chat
Son ouïe est moins fine que celle du chien.

1er : Le chat
Il voit les couleurs. Il a une bonne vision nocturne.

2e : Le chien
Il ne voit pas les couleurs. Il a une vision médiocre.

1. Qui voit le mieux : le chat ou le chien ?
2. Lequel des deux est le champion de l'odorat ?
3. Le chat voit-il que ton pull-over est rouge ?

3

Des dictons populaires

Dans cette fleur, il y a six dictons. Retrouve-les.

- Il ne faut pas réveiller le
- La nuit tous les
- A bon...
- Le...
- Un...
- Quand le
- sont gris.
- échaudé craint l'eau froide.
- dort les souris dansent.
- est parti les souris dansent.
- bon rat.
- qui dort.

4

Ils vivent tous dans l'eau

1. D'après toi, pourquoi ces animaux ont-ils la tête hors de l'eau ?

2. Cite des animaux qui vivent dans l'eau et qui respirent dans l'eau.

l'hippopotame

la tortue

le crocodile

le phoque

5

Au menu du hérisson

1. Fais la liste des aliments du hérisson ; souligne en rouge les aliments qui sont des animaux.

2. Pourquoi les jardiniers protègent-ils les hérissons ?

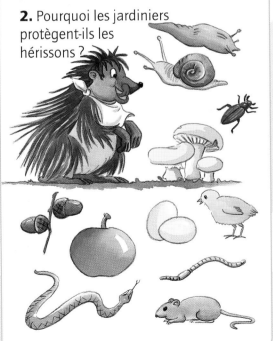

6

Si j'avais...

- « Si j'avais des yeux de chat, j'irais danser la nuit sur le rebord des toits. »

Thalie de Molène

- Si j'avais le flair d'un chien...
- Si j'avais des ailes d'oiseau...
- Si j'avais des oreilles de lapin...

Complète les phrases.

Des menus pour tous les goûts

1

Végétarien ou carnivore ?

Chez les écureuils,
Dès qu'on ouvre
Un œil,
On cueille
Une noisette ;
Puis, sur un fauteuil
De feuilles,
On fait
La dînette.

Pierre Gamarra

Que mange un écureuil ?

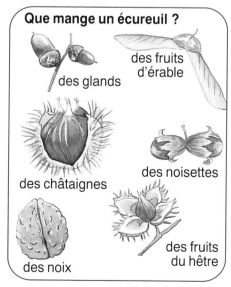

des glands

des fruits d'érable

des châtaignes

des noisettes

des noix

des fruits du hêtre

Que mange une chouette ?

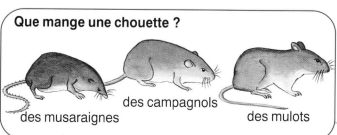

des musaraignes

des campagnols

des mulots

activités

• Pourquoi dit-on que l'écureuil est végétarien et que la chouette est carnivore ?

2

A prévoir pour leur pique-nique.

Au menu du moineau

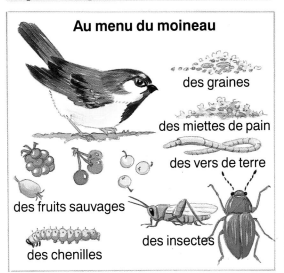

des graines

des miettes de pain

des vers de terre

des fruits sauvages

des insectes

des chenilles

Au menu du lézard

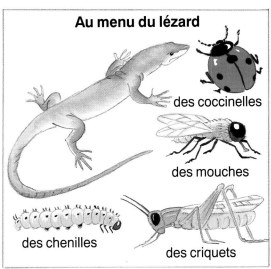

des coccinelles

des mouches

des chenilles

des criquets

Au menu ✿ de l'escargot

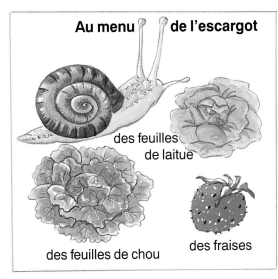

des feuilles
de laitue

des feuilles de chou

des fraises

Au menu de la coccinelle

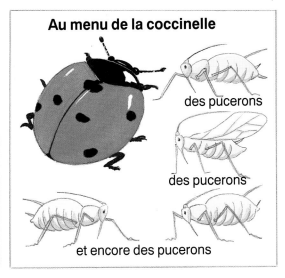

des pucerons

des pucerons

et encore des pucerons

Où vas-tu camarade ?
Dans cette direction
Voleur de mes salades
Demande-moi pardon.

D'une fierté sans bornes,
Hardi comme un dragon,
Il me tira les cornes
Et me répondit non.

Ernest Perochon

activités

● Parmi les aliments du moineau, lesquels sont d'origine végétale ? Lesquels sont d'origine animale ?

● Fais le même travail pour les trois autres animaux.

J'ai découvert

Les animaux ne mangent pas tous la même chose. Certains ne mangent que des végétaux, d'autres que des animaux, d'autres les deux.

Comment naissent les animaux ?

Des bébés animaux le jour de leur naissance.

L'oiseau joli chante
sur la branche du pêcher...
il a pondu trois œufs tachés
tout au fond du nid,
l'oiseau gris joli.

Madeleine Ley

activités

• Que représente chacune des photographies ? Décris-les.

• Cite des animaux qui naissent comme le petit âne.

Pourraient-ils vivre sans leur mère ?

Du lait bien chaud...
ils ont bon appétit
ces bébés chats !

Sur la plus haute branche
il est un petit nid
fourré de plumes blanches
et de mousse garni.

Une maman moinelle
y garde deux petits
qui restent sous son aile
si gentiment blottis.

M. Chevois

activités

● Explique pourquoi les chatons et
les « bébés oiseaux » ne pourraient
pas vivre sans leur mère.

J'ai découvert

**Tous les animaux ne naissent
pas de la même façon : certains naissent à partir d'un
œuf pondu, d'autres sortent
vivants du ventre de leur mère.**

A chacun son petit

1

Monsieur, Madame et Bébé.

activités

• Repère sur les photographies les animaux indiqués sur les dessins. Comment s'appellent-ils ? A quoi les reconnais-tu ?

A Famille des cerfs

B Famille des lions

① lion ② biche ③ lionceau

④ cerf ⑤ lionne ⑥ faon

② Ils cherchent leurs parents.

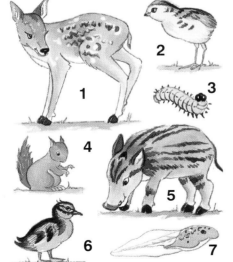

A : famille des canards

B : famille des faisans

C : famille des papillons

D : famille des écureuils

E : famille des sangliers

F : famille des cerfs

G : famille des grenouilles

activités

● Regroupe le père, la mère et le petit.

● Tous les jeunes animaux ressemblent-ils exactement à leurs parents ?

J'ai découvert

Tous les animaux se reproduisent en donnant naissance à des animaux de la même espèce.

1

Le concert des animaux

● Associe chaque verbe à l'animal qui convient.

grogner — aboyer — miauler — roucouler — rugir — bêler — hennir — caqueter — glapir

la poule — le cheval — le chien — le cochon — la tourterelle — le lion — le renard — le chat — le mouton

2

La naissance d'une petite truite

● Décris cette photographie.

3

Quel est l'intrus ?

une vache — une poule — un porc — une brebis — un chien

● Justifie ta réponse.

4 Mères et petits

● Associe chaque mère à son petit.

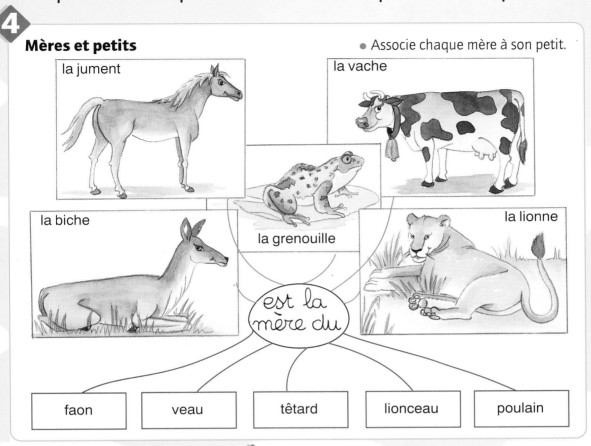

la jument
la vache
la grenouille
la biche
la lionne

est la mère du

| faon | veau | têtard | lionceau | poulain |

5 La puce

Une puce prit le chien
pour aller de la ville
au hameau voisin
à la station du
marronnier
elle descendit
vos papiers dit l'âne
coiffé d'un képi
je n'en ai pas
alors que faites-vous ici
je suis infirmière
et fais des piqûres
à domicile.

Paul Clausard

6 Un escargot est en train de pondre

● Décris cette photographie, puis fais un dessin.

Ils marchent, ils courent, ils volent...

1

Un chien sait marcher. Peut-il courir ? voler ? nager ?

a

b

c

Saute, saute, sauterelle,
car c'est aujourd'hui jeudi.
– Je sauterai, nous dit-elle,
du lundi au samedi.
Saute, saute, sauterelle,
à travers tout le quartier.
Sautez donc, mademoiselle,
puisque c'est votre métier.

Robert Desnos

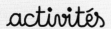

activités

• As-tu déjà vu une biche, une truite, un bourdon ? Comment se déplacent-ils sur ces photographies ?

• Peuvent-ils se déplacer autrement ?

Où peuvent-ils se trouver ?

9 . 3 . 4 . 7 . 6

1 . 7

7

2

8 . 1

2

4 . 5 . 6

3

1 . 5 . 6

9

4

9

1 l'écureuil	2 le lézard	3 la libellule
4 l'escargot	5 la carpe	6 le canard
7 le pigeon	8 le cheval	9 la grenouille

activités

● On ne peut pas voir un écureuil dans la mare. Cherche d'autres erreurs.

● Parmi les animaux présentés, lesquels ont plusieurs modes de déplacement ?

J'ai découvert

Un animal peut se déplacer de différentes façons. Pour chaque mode de déplacement, il utilise des organes adaptés.

Des ailes pour voler, des pattes pour...

1

Les voyageurs du ciel.

a

Où va l'oiseau
À tire d'ailes
À travers nuits
À travers ciel ?...
Il va te chercher
Le soleil.

Daniel Thébon

b

activités

- Décalque la photographie de chauve-souris et colorie les ailes. Pourquoi les compare-t-on parfois à la toile d'un parapluie ?

- Une aile d'oiseau c'est une vingtaine de plumes piquées sur le bras. Explique cette phrase.

2 Des bonds impressionnants !

Va-t-il
  rattraper
    la tortue ?

activités

• Peux-tu mimer le saut du kangourou ? et celui du lièvre ?

• Quelles ressemblances et quelles différences y a-t-il entre le saut du lapin et celui du kangourou ?

J'ai découvert

Les animaux qui se déplacent de la même façon (en volant, en sautant...) présentent des ressemblances (les premiers ont des ailes, les autres des pattes arrière très développées...).

Découvre le secret des graines

1

Sème, arrose... et tu seras récompensé.

activités

- Que se passe-t-il quand on sème une graine ?

- Dans une graine de haricot, il y a une plante en miniature. Dessine-la d'après la photographie.

Les plantes aussi ont un cycle de vie.

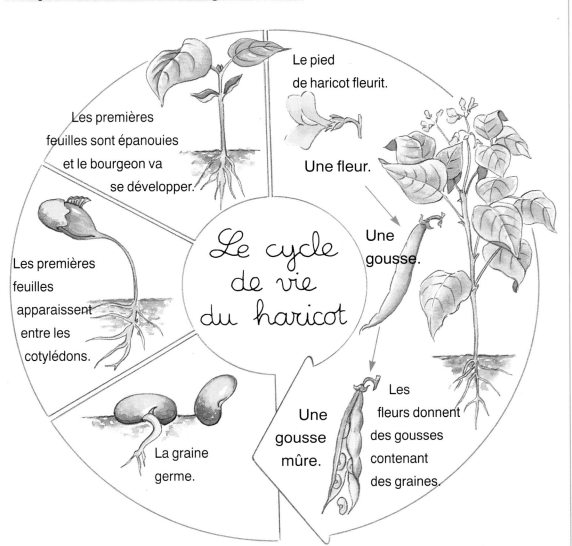

Le pied de haricot fleurit.

Une fleur.

Une gousse.

Les fleurs donnent des gousses contenant des graines.

Une gousse mûre.

La graine germe.

Les premières feuilles apparaissent entre les cotylédons.

Les premières feuilles sont épanouies et le bourgeon va se développer.

Le cycle de vie du haricot

J'étais cachée dans la terre
mais je savais que tu me guettais.
Pour te voir je suis sortie
en me faisant toute belle.
J'ai défripé mes feuilles.

     J'ai grandi.
     J'ai fleuri.
     Je t'ai donné des graines
     que tu as cachées dans la terre.

Marie-Anne

activités

• Quelles sont les principales étapes de la vie d'une plante ?

J'ai découvert

Une graine qui germe donne naissance à une nouvelle plante. Celle-ci était déjà en miniature dans la graine.

Dans le jardin de l'école...

1

La naissance d'un arbre.

a

b

activités

• Que donne un gland qui germe ?

• A quel dessin correspondent les photographies ?

A l'intérieur d'un gland, il y a un « chêne » miniature qui grandit au cours de la germination.

On peut aussi planter des bulbes, des tubercules.

- Planter des bulbes.

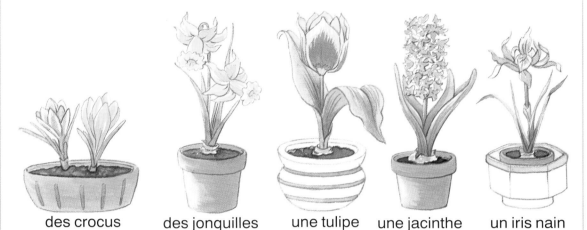

des crocus   des jonquilles   une tulipe   une jacinthe   un iris nain

- Planter des tubercules.

Mets une pomme de terre germée dans la terre d'une caissette. Arrose de temps en temps. Quelques mois plus tard, tu récolteras de nouvelles pommes de terre.

activités

- Que se passe-t-il si on plante un tubercule de pomme de terre ?

- Que se passe-t-il si on plante des bulbes de jacinthe, de tulipe ?

J'ai découvert

Il existe différentes façons de voir naître des plantes : semer des graines, planter des bulbes, des tubercules.

1. Ils marchent, ils courent...

● Fais trois listes : celle des animaux qui sont immobiles, celle des animaux qui marchent, celle des animaux qui courent.

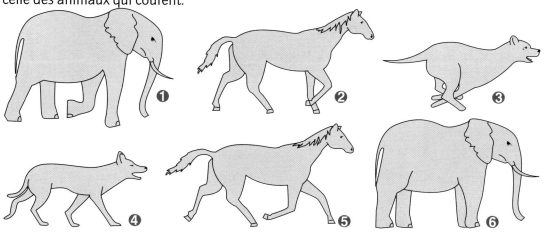

2. Quatre pattes pour marcher.

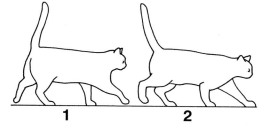

1. A quelle silhouette (**1** ou **2**) correspond la photographie ?

2. Pour cette silhouette, combien de pattes touchent le sol ? Dessine leurs traces.

3. Ils sont beaux dans le ciel.

1. Ecris le nom des oiseaux qui sont en plein vol.

2. Quels sont les oiseaux qui sont en train d'atterrir ? A quoi les reconnais-tu ?

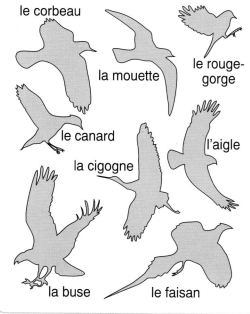

4

Une graine a germé.

1. Dans quel ordre places-tu les dessins pour représenter la germination d'une graine de pois ?

2. Décalque le dessin **B** ci-dessous et écris les légendes : graine, racine, tige, feuille.

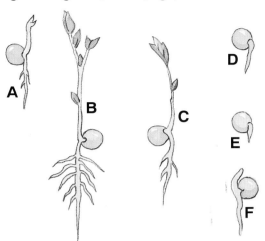

6

Où est l'insecte ?

● Dessine l'insecte sur du papier calque.

5

Une graine de pommier.

Pépin de pomme

Graine de pomme dans ma main,
Goutte brune, tendre pépin,
Je tiens le pommier dans ma main.

Je tiens le tronc et les ramures
Et les feuilles et les murmures,
La chanson des oiseaux vivants
Et les mille routes du vent.

Pierre Gamarra

● Que signifie la phrase : « Je tiens le pommier dans ma main » ?

A la découverte des végétaux

A la découverte des arbres et des arbustes.

1. *Les arbres ont tous des feuilles.*

- Sur les feuillus : des feuilles larges...

- Sur les conifères : des feuilles en « aiguilles » ou en petites écailles...

2. *Les arbres ont tous des fruits.*

- Les fruits des feuillus

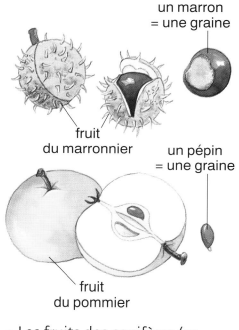

un marron = une graine

fruit du marronnier

un pépin = une graine

fruit du pommier

- Les fruits des conifères (ce sont des cônes)

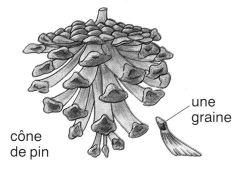

cône de pin

une graine

activités

- Qu'est ce qu'un feuillu ?
- Qu'est ce qu'un conifère ?

2

A la découverte des autres végétaux.

a

d

b

e

c

champignons

fougères

algues

mousses

lichens

activités

● Associe chaque photographie à une étiquette.

J'ai découvert

Il existe plusieurs grands groupes de végétaux.

La vie dans une forêt

Il y a des habitants à tous les étages.

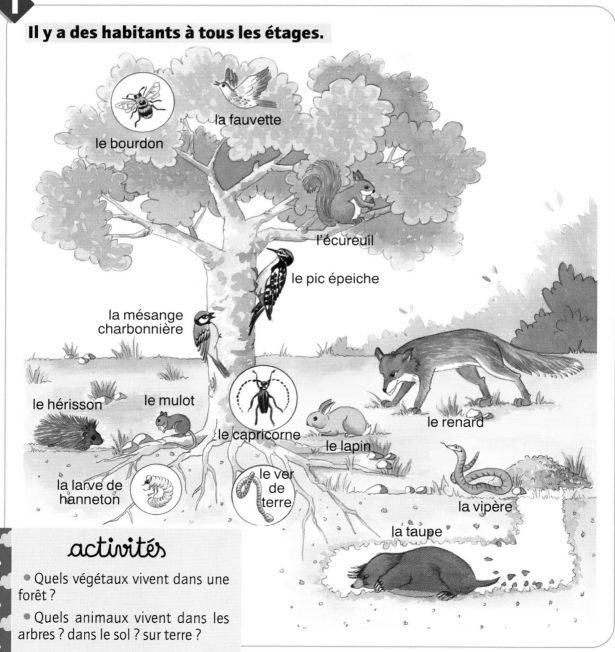

le bourdon

la fauvette

l'écureuil

le pic épeiche

la mésange charbonnière

le hérisson

le mulot

le capricorne

le renard

le lapin

la larve de hanneton

le ver de terre

la vipère

la taupe

activités

• Quels végétaux vivent dans une forêt ?

• Quels animaux vivent dans les arbres ? dans le sol ? sur terre ?

Tous ne sont pas des amis : ils doivent manger pour vivre.

Le hérisson mange ...

... des végétaux mais aussi des animaux

Peut-il, à son tour être mangé ?

... oui, par un renard ou par un chien. Mais "manteau piquant" sait se défendre ... en se mettant en boule !

Les hérissons

Manteau piquant,
Nez en bouton,
Ils vont,
Furetant,
Les hérissons.

Où je passe,
Plus de limace,
Où nous passons,
Plus de limaçons :
C'est la chanson
des hérissons.

Pierre Gamarra

activités

● Quels animaux le hérisson peut-il manger ? Qui peut manger le hérisson ?

● Comment le hérisson arrive-t-il à se défendre ?

J'ai découvert

Dans une forêt, de nombreux êtres vivants, animaux et végétaux, vivent ensemble.

Des habitants de ma ville

1 Qui êtes-vous Monsieur Pigeon ?

Pigeons des villes,
pigeons volent,
Ils roucoulent
en si bémol.

Pigeons des forêts,
tourterelles,
Roucoulent
en si naturel.

Jacques Charpentreau

activités

- Comment expliques-tu que les populations de pigeons soient très importantes dans certaines villes ?

- Pourquoi les pigeons, oiseaux si sympathiques, sont-ils parfois indésirables ?

Carte d'identité

Nom : pigeon biset de ville

Habitat : vieux bâtiments avec de nombreuses cavités, clochers d'églises...

Reproduction : 3 à 6 pontes par an de 2 œufs chaque fois

Nourriture : graines, aliments distribués par les habitants

Durée de vie : 6 ans au maximum

Reproches : les fientes rongent les pierres et dégradent les bâtiments

Qui êtes-vous Monsieur Moineau ?

Le moineau

Je suis né moineau
Sur le bord d'un toit,
Je suis comme il faut
Que le moineau soit.

Allègre, narquois,
Tout en petits sauts,
Je suis né moineau,
En mai, sur le toit.

Je ne suis pas beau
Et j'ai peur des chats.
Oui, mais quelle joie
Quand je crie là-haut
Sur le bord du toit !

Maurice Carême

Notre enquête

• Qui êtes-vous, monsieur moineau ?
Je m'appelle moineau, mais on m'appelle aussi pierrot, piaf...

• Quels sont vos aliments préférés ?
Je mange surtout des graines, des insectes, des fruits. J'aime bien aussi les miettes de pain ou de gâteaux que je chipe sous les tables.

• Parlez-moi de votre famille.
Au début de mai, madame moineau pond 5 à 6 œufs et nous les couvons à tour de rôle. Nos petits quittent le nid à l'âge de 15 jours. Une semaine plus tard madame moineau recommence à pondre, car nous élevons de 2 à 4 couvées par an. Quel travail, car nos petits sont très gourmands !

activités

• Joue des scènes amusantes qui font intervenir des animaux ; par exemple : un couple de moineaux discute du choix de l'emplacement de leur nid...

J'ai découvert

Dans la nature, certains animaux recherchent le voisinage des hommes. Ils font partie de notre environnement familier.

Au fil des saisons

1

Comment les oiseaux passent-ils l'hiver ?

La chute des feuilles annonce la mauvaise saison. Certains oiseaux restent et affrontent l'hiver, saison froide où la nourriture est peu abondante, d'autres migrent vers des pays plus accueillants. C'est le cas de l'hirondelle.

« Bonjour, bonjour »
    dit l'hirondelle
qui revient nicher
    sous mon toit,
« j'ai du printemps
    au bout des ailes
et t'apporte des fleurs
    nouvelles ;
je te suis fidèle, tu vois ! »

« Merci, merci » dit le poète
« de revenir auprès de moi
de l'autre bout de la planète. »

Et j'avais du bleu plein la tête
car l'hirondelle c'était toi !

Michel Beau

activités

• Qu'est-ce qu'un oiseau migrateur ?

• Cite des oiseaux qui passent l'hiver dans nos régions.

Comment aider les oiseaux en hiver ?

En hiver, la nourriture se fait rare et, si le sol est gelé ou couvert de neige, elle devient inaccessible aux oiseaux qui grattent la terre à la recherche de graines ou de petits vers.

A ce moment-là, tu peux les aider à survivre.

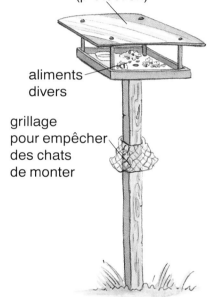

plaque de tôle (protection)

aliments divers

grillage pour empêcher des chats de monter

- Offre à tes amis des aliments variés : graines de toutes sortes (tournesol, millet, blé, avoine, pépins de pomme ...), miettes de pain, fromage, œuf dur, graisse, morceau de couenne...

- N'oublie pas que les oiseaux ont absolument besoin de boire.

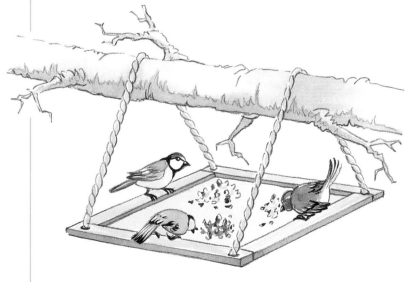

J'ai découvert

L'hiver est, pour les animaux, une saison difficile : la nourriture se fait rare, il faut se protéger du froid...

1

Feuillus ou conifères

1. Fais deux listes : celle des feuillus et celle des conifères.

2. A quoi les reconnais-tu ?

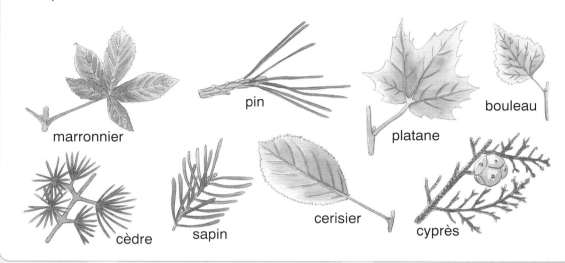

marronnier — pin — platane — bouleau — cèdre — sapin — cerisier — cyprès

2

Attention ! Danger

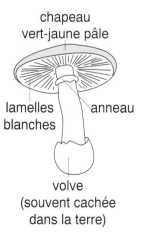

chapeau
vert-jaune pâle

lamelles
blanches

anneau

volve
(souvent cachée
dans la terre)

Ce champignon, l'amanite phalloïde, est un champignon mortel. Quels caractères permettent de le distinguer d'autres champignons ?

3

Vivent-ils dans l'étang ou dans la mer ?

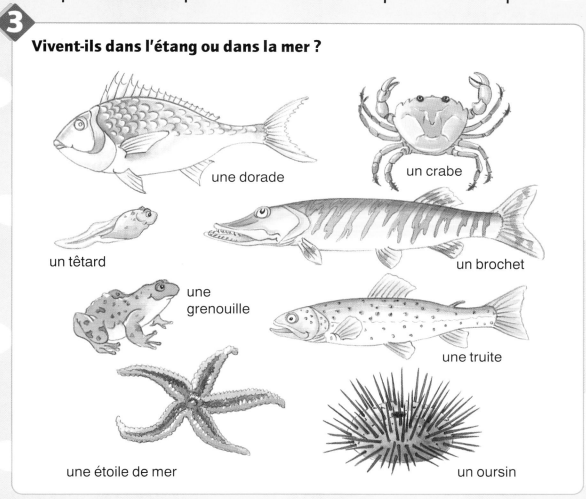

une dorade

un crabe

un têtard

un brochet

une grenouille

une truite

une étoile de mer

un oursin

4

Un escargot en hiver

A quoi vois-tu qu'il a été trouvé en hiver ?

5

Vrai ou faux ?

1. La chouette est la femelle du hibou.

2. Le pou est le mâle de la puce.

3. La vache est la femelle du taureau.

4. Le mouton est le mâle de la brebis.

5. La grenouille est la femelle du crapaud.

6. Le jars est le mâle de l'oie.

7. La jument est la femelle du cheval.

8. Le rat est le mâle de la souris.

9. La pie est la femelle du corbeau.

Comment faire pour voir de l'air ?

1

L'air est invisible. Pourtant, on peut le voir.

a

b

c

d

activités

• Indique, pour chaque photographie, à quoi on voit qu'il y a de l'air.

Devinette : Je n'ai pas d'odeur, je suis invisible, et pourtant, j'existe.

Les bouteilles vides ne sont pas vides.

● *Première expérience*

a

b

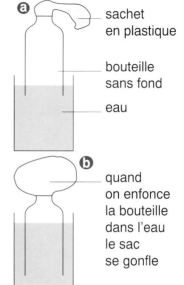

a — sachet en plastique

— bouteille sans fond

— eau

b — quand on enfonce la bouteille dans l'eau le sac se gonfle

● *Deuxième expérience*

c

● *Troisième expérience*

c — bouchon
— bouteille sans fond
— eau

le bonhomme n'est pas mouillé !

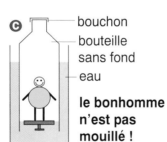

d eau

pâte à modeler

l'eau ne coule pas dans la bouteille !

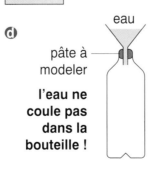

d

activités

● Observe chaque photographie et explique ce qui se passe.

● Fais les expériences.

J'ai découvert

L'air est un gaz invisible. Il y a de l'air tout autour de moi.

Un verre ou une bouteille qui paraissent vides contiennent de l'air.

Soufflez, Monsieur le vent

Construis une manche à air.

Soufflez monsieur le vent,
faites danser les nuages
et les cheveux des enfants sages.

Soufflez monsieur le vent.
Emportez les papiers
et le chapeau du jardinier.

Fernande Huc

• **Pour construire la manche à air, il faut :**

> **Matériel**
>
> **1.** Un rectangle de papier serpente d'environ 50 × 100 cm.
>
> **2.** Une bande de cartoline d'environ 50 × 3 cm.
>
> **3.** De la ficelle (de cuisine).
>
> **4.** Un tasseau en bois.
>
> **5.** Un clou cavalier.

activités

• Que montre la manche à air de la photographie ?

• Fabrique une manche à air en t'aidant de la fiche de fabrication.

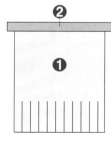

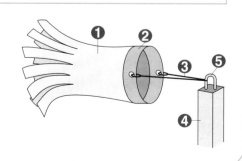

Moulin et moulinet.

Tourne, moulin, vire, moulin,
Au vent qui passe sur la plaine.
Quand sera moulu le bon grain,
Nous mangerons des madeleines...

Pierre Gamarra

● Construis un moulinet avec un carré de papier.

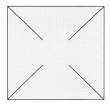

avec du papier
de dessin
de couleur

rabats une
pointe sur deux
vers le centre

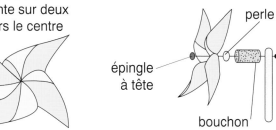

perle

épingle
à tête

bouchon

Le vent court à brise abattue
Il court, il court à perdre haleine
Pauvre vent perdu et jamais au but
Où cours-tu si vite à travers la plaine ?

Claude Roy

activités

● Construis un moulinet.
● Cherche différentes façons de le faire tourner.

J'ai découvert

Le vent est de l'air qui se déplace.

Le vent peut faire tourner les ailes d'un moulinet et fait bouger une manche à air.

La glace, est-ce de l'eau ?

1

Eau liquide et eau solide.

● Emilie a fait une expérience.

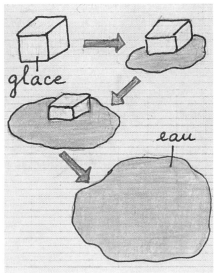

glace

eau

● **Fabrique des sucettes glacées**

Il faut pour cela :

- de l'eau
- du sirop de menthe, de grenadine ou de cassis
- des bâtonnets
- des petits pots vides.

activités

● En quoi consiste l'expérience d'Emilie ? Que donne un glaçon quand il fond ?

● Devine la recette des sucettes glacées.

Pourquoi la glace fond-elle ?

● **L'expérience d'Elsa**

Au début de l'expérience, le verre A contenait de l'eau froide, et le verre B de l'eau chaude.

Au départ

4 minutes plus tard

● **Il pleut des grêlons**

Je suis le grêlon dur et rond,
ou pois chiche ou œuf de pigeon
qui fais des bonds de sauterelle
par-dessus le toit des ruelles ;

je cogne partout sans façons,
puis, dans un coin, tout seul, je fonds.

Comptine

Une averse de grêle fait d'énormes dégâts

Hier après-midi, vers 15 heures, des grêlons gros comme des œufs de pigeon sont tombés sur des vergers dans la région d'Orléans.
Les dégâts sont considérables, et la récolte

activités

● Que montre l'expérience d'Elsa ?

● Que deviennent les grêlons quand ils fondent ?

J'ai découvert

La glace est de l'eau solide.
Quand elle fond, elle se transforme en eau liquide.

De l'eau invisible

1

Quand l'eau disparaît, que devient-elle ?

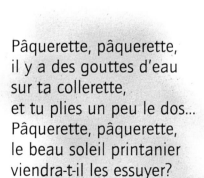

b

c Ce matin, il y a de la rosée sur les plantes.

Pâquerette, pâquerette,
il y a des gouttes d'eau
sur ta collerette,
et tu plies un peu le dos...
Pâquerette, pâquerette,
le beau soleil printanier
viendra-t-il les essuyer?

Philéas Lebesgue

activités

- Explique ce que va devenir l'eau liquide dans chacune des situations présentées par les photographies.

Quand l'eau réapparaît, d'où vient-elle?

« Ce n'est pas facile de se voir dans un miroir couvert de buée. »

a

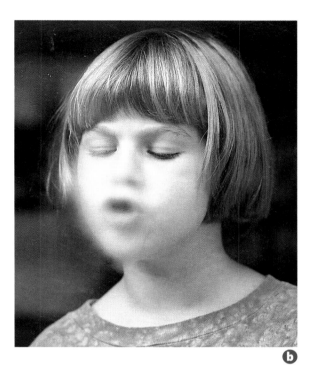

b

c

Quand nous avions très soif,
mon frère aîné achetait
un grand verre de glace pilée,
colorée d'une larme de menthe.
Et tandis que la glace fondait,
une buée épaisse troublait
la transparence du verre;
bientôt de véritables gouttes
d'eau coulaient à l'extérieur.
« C'est le verre qui sue »
disait mon frère en souriant.
Bien plus tard, je compris
qu'il s'amusait de moi.

J. Cassel

activités

• Souffle sur une vitre froide. A quoi correspond la buée qui se forme sur la vitre ?

• Explique, pour chaque photographie, ce que tu observes.

J'ai découvert

Quand un objet mouillé sèche, l'eau qu'il contient se transforme en un gaz invisible appelé vapeur d'eau. On dit que l'eau s'évapore.

L'eau dans la nature

1

La neige, qu'est-ce que c'est ?

a

La neige est formée de très petites étoiles de glace telles que celle-ci. ▶

b

Chanson
pour les enfants l'hiver

Dans la nuit de l'hiver
Galope un grand homme blanc.
Galope un grand homme blanc.

C'est un bonhomme de neige
Avec une pipe en bois,
Un grand bonhomme de neige
Poursuivi par le froid.

Il arrive au village.
Il arrive au village.
Voyant de la lumière
Le voilà rassuré.

Dans une petite maison
Il entre sans frapper,
Dans une petite maison
Il entre sans frapper,
Et pour se réchauffer,

Et pour se réchauffer,
S'asseoit sur le poêle rouge,
Et d'un coup disparaît
Ne laissant que sa pipe
Au milieu d'une flaque d'eau,
Ne laissant que sa pipe,
Et puis son vieux chapeau...

Jacques Prévert

activités

• Que vois-tu sur la photographie **a** ? Que va-t-il se passer si le temps se réchauffe ?

• Dessine une « étoile de neige » en décalquant la photographie **b**.

« Venez mes enfants » dit la mer.

Les nuages prennent naissance quand l'air monte et se refroidit.

Une partie de la vapeur d'eau qu'ils contiennent se condense en minuscules gouttelettes d'eau ou en cristaux de glace.

« Fleuves
Rivières
Torrents
Cascades
Ruisseaux

Allons !
Venez !
Venez ?
Mes enfants »
Dit la mer.

Daniel Thébon

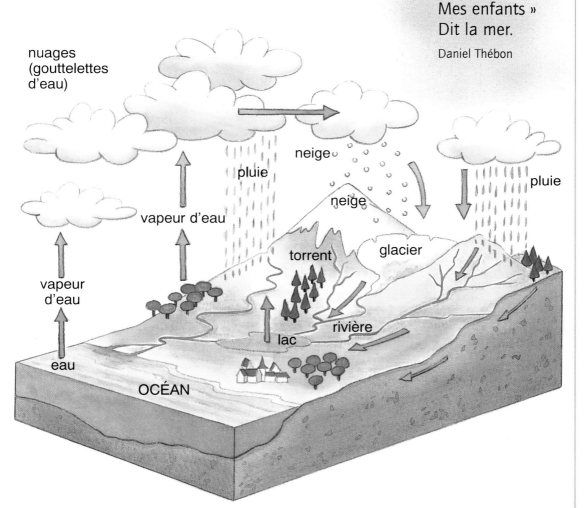

nuages (gouttelettes d'eau)

vapeur d'eau

vapeur d'eau

eau

pluie

neige

neige

pluie

torrent

glacier

lac

rivière

OCÉAN

activités

• Raconte le voyage d'une goutte de pluie. Où va-t-elle ? D'où vient-elle ?

• Pourquoi parle-t-on de « cycle de l'eau » ?

J'ai découvert

L'eau des nuages tombe lorsqu'il pleut, puis regagne la mer. L'eau de la mer s'évapore et les nuages se reforment. C'est le « cycle de l'eau ».

Quelle température lis-tu ?

A quoi servent ces thermomètres ?

Un thermomètre s'ennuie sur le mur de l'appartement. Il veut partir visiter le congélateur, vérifier qu'Emilie n'est plus malade, plonger dans l'eau bouillante...

J'ai bien du mal à lui expliquer que ce n'est pas possible, qu'il n'a pas été fabriqué pour cela.

(a)

(b)

(c)

(d)

activités

- Observe bien les thermomètres présentés sur ces photographies, puis indique quel est leur usage. A quoi les as-tu reconnus ?

appartement

bain

médical

congélateur

congélateur

Comment fonctionne un thermomètre à liquide ?

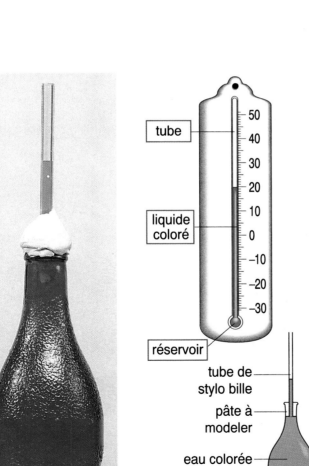

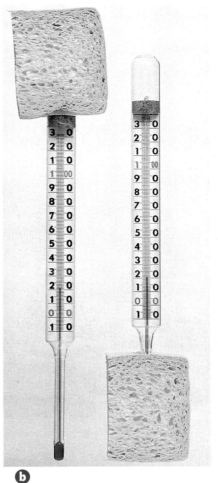

tube

liquide
coloré

réservoir

- 50
- 40
- 30
- 20
- 10
- 0
- −10
- −20
- −30

tube de
stylo bille

pâte à
modeler

eau colorée

bouteille

a

b

c

activités

- Quelles températures indiquent les thermomètres du dessin **a** ?

- Que se passe-t-il si on verse de l'eau chaude sur les éponges de la photographie **b** ?

- Fabrique un thermomètre à liquide (photo **c**). Cite ses différentes parties.

J'ai découvert

Plus la température est élevée, plus le liquide monte dans un thermomètre.

Lequel est le plus lourd?

A quoi vois-tu qu'il est plus lourd ?

Range ces objets
du moins lourd au plus lourd.

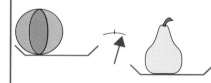

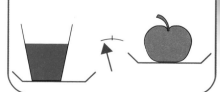

activités

● Vrai ou faux : le camion est plus lourd que la voiture et plus lourd que la peluche.

Le quatre-quarts du chef.

Pour faire ce délicieux gâteau, il faut peser les œufs, la farine, le sucre et le beurre. Pourquoi appelle-t-on ce gâteau un « quatre-quarts » ? Pour répondre, regarde les photographies.

Recette pour 6 personnes

- Mélanger le beurre et le sucre.
- Ajouter les œufs un à un.
- Incorporer la farine et une cuillerée à café de levure chimique.
- Verser dans un moule beurré.
- Cuire à four moyen 40 minutes environ.

(a)

(b)

(c)

activités

- Aide-toi des photographies pour indiquer les quantités nécessaires pour six personnes.
- Prépare le quatre-quarts.

J'ai découvert

Le plateau le plus bas de la balance porte l'objet le plus lourd.

1

Parmi ces verres, deux contiennent de l'eau. Lesquels ?

 a **b** **c** **d** 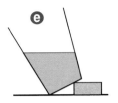 **e**

2

Dessine de l'eau dans ces trois récipients.

4

A quoi vois-tu qu'il y a du vent ? D'où vient le vent ?

3

La même manche à air est dessinée dans trois situations différentes. Où le vent est-il le plus fort ? Le plus faible ?

 a 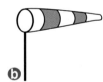 **b** **c**

5

Le mouchoir en papier sera-t-il mouillé si on enfonce le verre dans l'eau ?

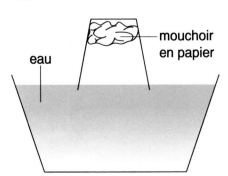

eau — mouchoir en papier

6

On transvase de l'air d'un verre dans un autre. D'après la photographie, fais un dessin pour expliquer ce qui se passe.

7

Les deux glaçons sont identiques. Lequel va fondre le plus vite ? Pourquoi ?

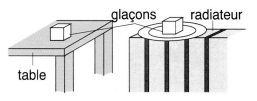

8

Que représentent les flèches ?

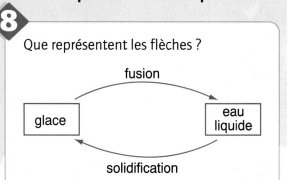

9

Pierre aime le chocolat froid, Emilie l'aime bien chaud et Lucas le préfère tiède. Quels bols vont-ils choisir ?

10

Quelle température lis-tu ?

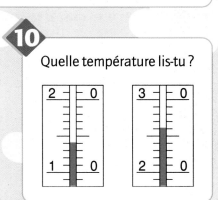

11

On a sorti, il y a quelques minutes, l'une de ces deux carafes du réfrigérateur. Laquelle ?

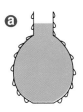
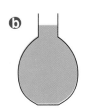

12

Que signifient ces quatre mots ou expressions ?

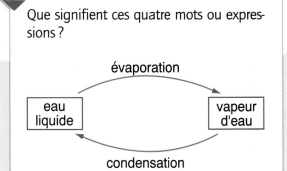

13

Quel est, dans chaque cas, l'objet le plus lourd ?

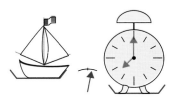
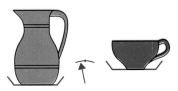

Construis une maquette d'immeubles

Une maquette à construire.

a Vue générale des 3 immeubles.

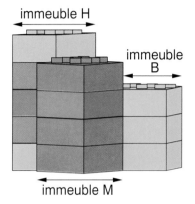

immeuble H

immeuble B

immeuble M

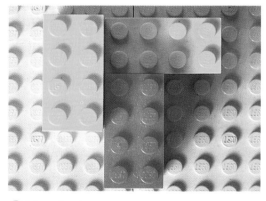

b Vue de dessus.

activités

• Décalque la photographie **b** et repère sur ton dessin les 3 immeubles H, B et M.

• Combien l'immeuble H a-t-il d'étages ? et l'immeuble B ?

• Construis la maquette de ces immeubles avec des briques Lego.

Une hutte dans la forêt,
une maison dans la cité,
un igloo au pays des glaces,
un cabanon ou un palace,
un immeuble dans mon quartier.
Que les habitations sont variées !
Mais pour chacun, c'est un « chez soi »
où l'on aime à se retrouver.

Plusieurs photographies de la maquette.

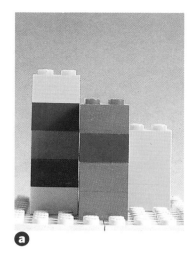

a

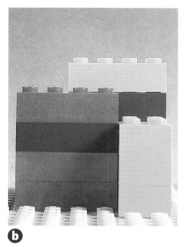

b

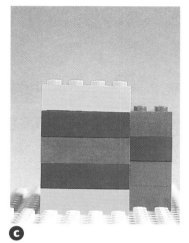

c

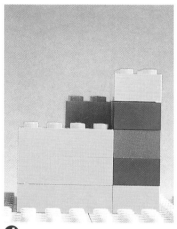

d

Où était le photographe ? Ce n'est pas facile de répondre ! Pour te retrouver, repère pour chaque photographie l'immeuble le plus haut et l'immeuble le moins haut. Puis regarde bien le plan ci-dessous et la maquette que tu as construite.

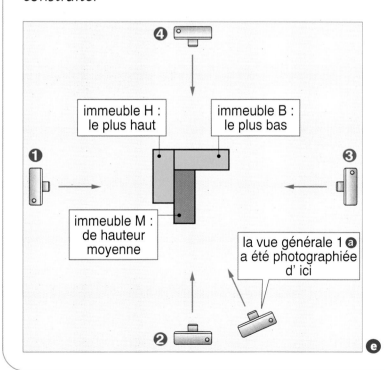

➍

immeuble H : le plus haut

immeuble B : le plus bas

➊ ➌

immeuble M : de hauteur moyenne

la vue générale 1 **a** a été photographiée d' ici

➋

e

activités

● Associe chaque photographie à une position de l'appareil photographique indiquée sur le plan **e** .

J'ai découvert

Quand on tourne autour d'un objet, on n'a pas le même point de vue sur lui.

Des jeux d'adresse à fabriquer

1

Une autre façon de jouer avec des billes.

1

2

3

4

La tête du chat est en pâte à sel, celle de l'ours en argile.

activités

• Explique ce qu'il faut faire pour jouer avec ces jeux.

• Avec quels matériaux sont-ils fabriqués ?

Recette de la pâte à sel

Mélanger 2 verres de sel fin, 2 verres de farine et de l'eau pour obtenir une pâte souple, facile à pétrir à la main.

Des indications pour réussir les fabrications...

● ... Avec du bois.

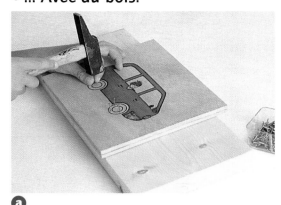

a

b

Matériel :

— une planchette en bois,

— un tasseau en bois de 1 cm de côté,

— 6 clous,

— de la colle.

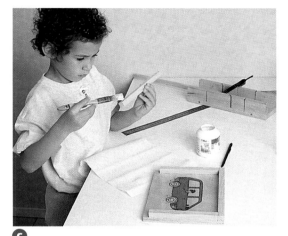

c

● ... Avec du carton.

d

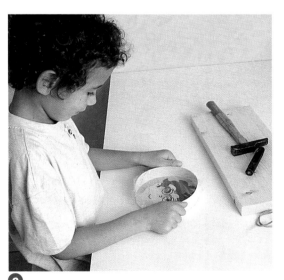

e

activités

● Décris ce que fait Caroline sur chaque photographie.

● Fabrique l'un de ces jeux.

J'ai découvert

Des objets peuvent avoir le même usage et être faits dans des matériaux différents.

Petits bateaux qui vont sur l'eau

1

Construis un catamaran.

Le beau navire

Je l'ai construit le beau navire,
Pour voyager où je voudrai.
Il file, tangue, roule et vire,
Et vers l'horizon disparaît.

La coque, les mâts et les voiles
Et les cordages bien serrés
Vont fièrement sous les étoiles
Vers les pays inexplorés.

Tangue, roule et vire !
Il est si beau
Mon fin navire !
Il est si beau
Voguant sur l'eau, oh, oh !
Mon fin navire de bouleau.

Edmond Rocher

activités

● Pose des objets sur l'eau. Lesquels flottent ? Lesquels coulent ?

● Aide-toi de la photographie pour fabriquer ton catamaran.

Quel matériau vas-tu choisir ?
– liège,
– bois,
– polystyrène.

Fabrique un monocoque.

Je voudrais flotter
et non pas couler
bêtement,
au fond de l'eau.

Je voudrais flotter,
partir
comme un navire,
découvrir le monde.

Qui saura m'aider ?

● **Une solution brevetée**

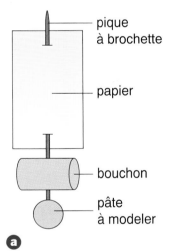

- pique à brochette
- papier
- bouchon
- pâte à modeler

a

b

● **Les essais de l'ingénieur**

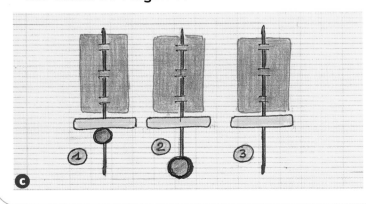

c

activités

● Regarde le dessin **c**. Parmi les trois bateaux représentés, lequel tombera le plus facilement si le vent souffle fort ? Lequel gardera le mieux son équilibre ?

J'ai découvert

Différents moyens permettent de stabiliser un bateau sur l'eau : ajouter un flotteur ou une quille.

Jeux avec des aimants

1

Des déplacements mystérieux.

- Le trajet de la souris.

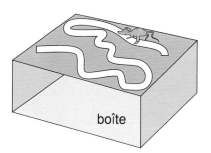

boîte

souris

trombone

- La promenade des hippopotames.

aimant

vis

activités

- Observe les photographies pour fabriquer tes jeux.

- Qu'y a-t-il sous le flotteur des hippopotames et dans la main de la fillette ?

② Un aimant attire certains objets.

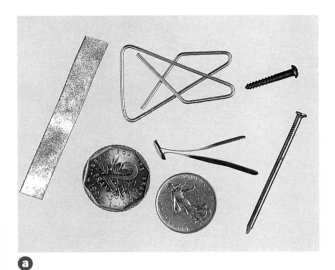

a

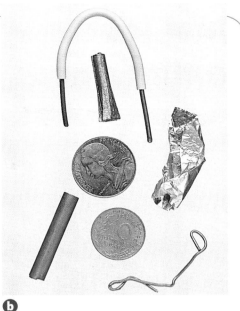

b

| objets métalliques attirés |

| objets métalliques non attirés |

| objets non métalliques non attirés |

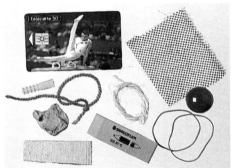

c

• **La pêche miraculeuse.**

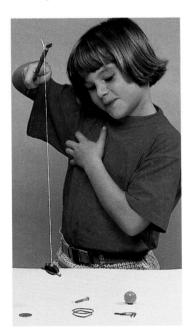

Les objets placés dans la cuvette sont :
– une bille (verre),
– un élastique (caoutchouc),
– un trombone (fer),
– une vis en laiton,
– une pièce de 20 centimes (laiton).

activités

• Fais la liste des objets de la photographie attirés par l'aimant, puis celle des objets non attirés par l'aimant.

• Qu'ont en commun les objets attirés par l'aimant ?

• Quels objets de la cuvette un aimant peut-il attirer ?

J'ai découvert

Un aimant attire les objets en fer et n'attire pas les autres objets.

Quel jour sommes-nous ?

1

Les jours de la semaine.

Au pays du lundi
On démarre plein d'énergie.

Au pays du mardi
On continue comme lundi.

Au pays du mercredi
On peut dormir jusqu'à midi.

Au pays du jeudi
On recommence, c'est la vie.

Au pays du vendredi
On a beaucoup d'amis.

Au pays du samedi
La semaine est presque finie.

Au pays du dimanche
On s'embrasse, on mange,
On rit.

Penuel

activités

● Observe ces photographies pour comprendre comment est fait ce calendrier. Fabrique-le.

Petit poisson, dis-moi la date.

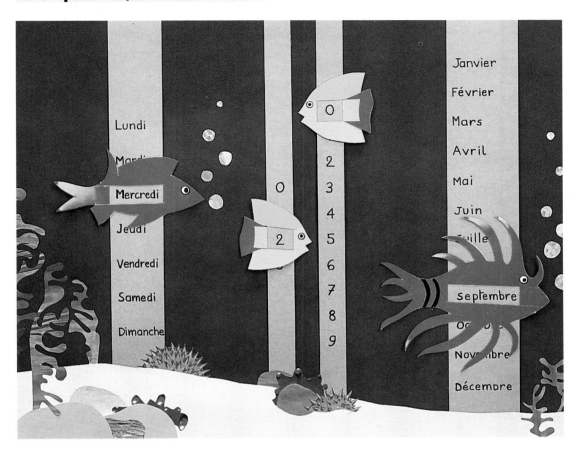

Lundi
Mardi
Mercredi
Jeudi
Vendredi
Samedi
Dimanche

0
2
3
4
5
6
7
8
9

Janvier
Février
Mars
Avril
Mai
Juin
Juillet
Août
Septembre
Octobre
Novembre
Décembre

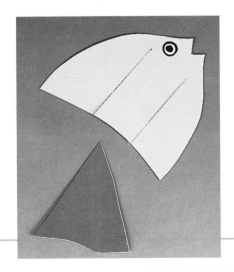

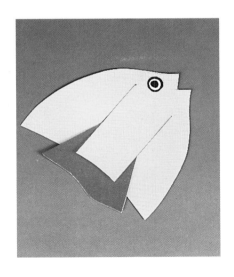

activités

- Quelle date lis-tu ?
- Observe les photographies pour construire les pièces du calendrier.

85

C'est bientôt Carnaval...

1

Des lunettes fantaisies.

activités

● Parmi ces deux propositions de lunettes fantaisies, laquelle préfères-tu ?

● Comment vas-tu t'y prendre pour faire des lunettes à ta taille ?

Un chapeau pour la fête.

- Pour faire le chapeau bleu

- Pour faire le chapeau vert

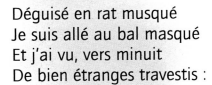

Au bal masqué

Déguisé en rat musqué
Je suis allé au bal masqué
Et j'ai vu, vers minuit
De bien étranges travestis :

Un pompier en sirène
Un voleur en gendarme
Un manchot en pingouin
Une minette en souris
Un général en particulier
Un Petit Prince en dauphin
Une reine en boucher
Un paresseux en bouleau
Un pauvre diable en Bon Dieu
Un maître d'école en mètre pliant
Un poète en courant d'air.

Robert Gélis

- Pour faire le chapeau jaune

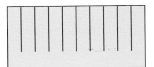

activités

- Quel chapeau choisis-tu ?
- Observe la photographie et le dessin pour le fabriquer.

87

Deviens auteur et éditeur

1

Toutes sortes de livres.

Je voudrais écrire un livre,
qui sera lu par mes amis.
Je voudrais fabriquer un livre,
qui sera beau à regarder.
Je voudrais fabriquer un livre,
mais comment faire ?
Veux-tu m'aider ?

ⓑ

ⓐ

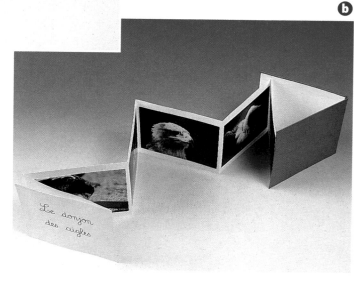

activités

● Regarde bien la photographie **ⓑ** et fabrique ce livre en accordéon.

● Comment sont reliés les livres présentés sur la photographie **ⓐ** ?

Un livre à surprises.

*activités*

● Fais des essais pour réaliser ce livre à surprises.

Des voitures qui roulent

1

Des voitures de toutes sortes.

Elle cahote sur la route,
ou elle roule avec allure.
Elle flâne dans la campagne ;
ou elle avance dans la ville.
Elle rend service à la famille.
Qui est-elle ?
Mon automobile !

activités

• Avec quel matériel sont faites ces différentes voitures ?

• Laquelle préfères-tu ? Laquelle vas-tu fabriquer ?

Deux autres modèles grand luxe.

• **Pour que ça tourne : plusieurs solutions possibles**

❶ Couper 2 pailles à la bonne longueur et les coller.

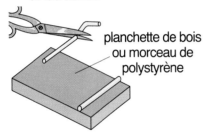

planchette de bois ou morceau de polystyrène

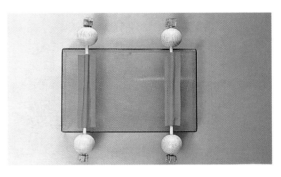

❷ Enfiler des morceaux de piques à brochette dans les pailles puis fixer les roues.

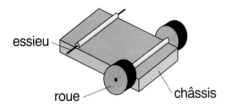

essieu

roue   châssis

❸ Coller la carrosserie.

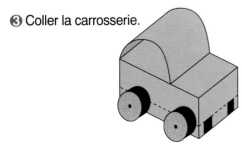

activités

• Comment sont assemblés les roues, l'essieu et le châssis sur les voitures présentées ici ?

De l'électricité pour les faire fonctionner

1

Comment ces appareils sont-ils alimentés ?

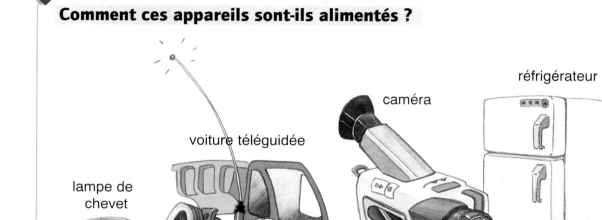

réfrigérateur

caméra

voiture téléguidée

lampe de chevet

lecteur de cassette

radiateur électrique

téléviseur

fer à repasser

activités

- Parmi les objets ci-dessus, lesquels sont alimentés par piles ? Lesquels sont alimentés sur secteur ?

2

A chacun sa pile.

a

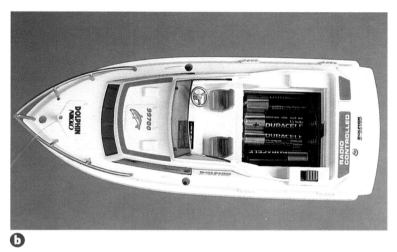

b

c

d

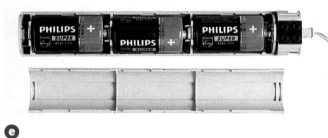

e

f

activités

• Quelle pile dois-tu placer dans chacun de ces objets ?

• Sur le dessin **f** les piles sont-elles correctement placées ?

J'ai découvert

Les appareils électriques sont alimentés par des piles ou sur le secteur.

1

Des photographies ratées.
Parmi ces photographies, trois sont ratées. Lesquelles ? Justifie ta réponse.

2

Relie chaque touche à sa légende.

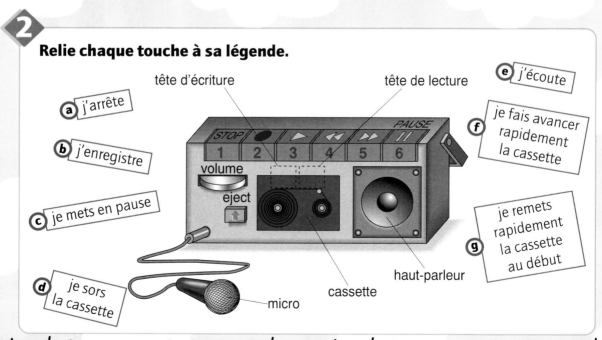

tête d'écriture   tête de lecture

e j'écoute

a j'arrête

b j'enregistre

c je mets en pause

d je sors la cassette

f je fais avancer rapidement la cassette

g je remets rapidement la cassette au début

volume   eject

micro   cassette   haut-parleur

3

Quels cadeaux Émilie a-t-elle choisi pour la fête des pères ?

Trouve-les en rayant dans la grille tous les mots inscrits dans la vitrine du magasin. Attention ! Une même lettre peut servir dans plusieurs mots.

R	E	F	R	I	G	E	R	A	T	E	U	R
A	M	A	G	N	E	T	O	P	H	O	N	E
D	S	V	E	N	T	I	L	A	T	E	U	R
I	E	R	T	E	L	E	V	I	S	E	U	R
A	C	A	A	S	P	I	R	A	T	E	U	R
T	H	S	P	R	I	S	E	L	A	M	P	E
E	O	O	I	F	S	O	N	N	E	T	T	E
U	I	I	L	I	T	O	N	D	E	U	S	E
R	R	R	E	L	A	M	P	O	U	L	E	S

ELECTRICITÉ LUMINAIRES

ampoules — téléviseur — prise — réfrigérateur — lampe — radiateur — séchoir — pile — aspirateur — ventilateur — sonnette — fil — magnétophone

4

Combien de ronds ont été utilisés pour faire cet escargot ?

RÉFÉRENCES PHOTOGRAPHIQUES

RÉFÉRENCES DES POÈMES

p. 24	: © Fondation Maurice Carême. *Mon petit chat* extrait de « La lanterne magique ».
p. 25	: © Fondation Maurice Carême. *Le chat et le soleil* extrait de « L'Arlequin ».
p. 26	: © Pierre Menanteau. Droits réservés.
p. 29	: René de Obaldia. Extrait de « Innocentines ». © Éditions Bernard Grasset.
p. 32	: © Pierre Gamarra. « Des mots pour le dire ».
p. 33	: © Ernest Perochon. Droits réservés.
p. 34	: Madeleine Ley. © Bayard Éditions.
p. 35	: M. Chevois. © Bayard Éditions.
p. 39	: © Paul Clausard. Droits réservés.

p. 40	: Robert Desnos, « Chantifables et chantefleurs ». © Gründ.
p. 42	: Daniel Thébon © Éditions Fleurus.
p. 49	: Pierre Gamarra. *Pépin de pomme.* Extrait de « La guirlande de Julie ». © Les éditions de l'atelier.
p. 53	: © Pierre Gamarra. « Des mots pour les animaux ».
p. 54	: © Jacques Charpentreau. *La ville enchantée.*
p. 55	: © Fondation Maurice Carême. *Le moineau* extrait de « A cloche-pied ».
p. 56	: © Michel Beau, *Jonglerimes.*
p. 62	: Fernande Huc. © Bayard Éditions.
p. 63	: © Pierre Gamarra. ABC.

p. 63	: Claude Roy. Extrait de « Poésies ». © Éditions Gallimard.
p. 66	: Phileas Lebesgue. © Bayard Éditions.
p. 67	: © Jean Cassel. « Jour d'été ». Droits réservés.
p. 68	: Jacques Prévert, *Chansons pour les enfants l'hiver.* Extrait de « Histoires ». © Éditions Gallimard.
p. 69	: Daniel Thébon. *Pierre qui mousse* de Ruy-Vidal. © Fleurus, Éditions Universitaires.
p. 80	: Edmond Rocher. *Le beau navire,* extrait de « La poémeraie ». © Armand Colin.
p. 84	: © Penuel. Droits réservés.
p. 87	: Robert Gélis. « En faisant des galipoètes ». © Éditions Magnard.

Edition : Jacqueline Erb. **Iconographie :** Christine Varin.
Fabrication : Martine Christian. **Illustrations :** Catherine Claveau.
Mise en page : Michèle Andrault. **Dessins :** Fractale.
Maquette : Bruno Loste.

Dépôt légal : janvier 1996
Imprimerie Maury-Eurolivres, 45300 Manchecourt
N° d'imprimeur : J95/50989S
Achevé d'imprimer en janvier 1996